D1266124

Knud Eike BUCHMANN

JE TE SOUHAITE...

Troisième édition

Titre original : *Ich wünsche Dir...*

Adaptation de l'allemand par *Annick Lalucq*

Éditions Médiaspaul, 8 Rue Madame, 75006 Paris
ISBN 2-7122-0525-1

Imprimé dans la Communauté Européenne

Dépôt légal 2e trimestre 1998

JE TE SOUHAITE...

ainsi commencent le plus souvent les vœux que nous offrons. Nous nous souhaitons ce qu'il y a de meilleur : la santé, le bonheur, longue vie... Quel est le sens profond de tout cela ?

Lorsque, comme l'auteur, on s'est occupé pendant de longues années des besoins des hommes, dans la joie et la peine, on sait que ce sont les choses les plus fondamentales qui rendent vraiment heureux. Aussi, comme il est important de faire parvenir à ceux que nous aimons des pensées d'affection et d'espoir ! Comme il est important d'exprimer sa sympathie et son intérêt, sa fidélité et son respect ... et de recevoir ceux des autres !

Dis-moi ce que tu souhaites, je te dirai qui tu es ! Les textes ici présentés voudraient offrir des suggestions de souhaits : des souhaits auxquels on ne pense pas, mais des souhaits de sagesse : des souhaits pour mieux vivre !

Que le lecteur en fasse, s'il le veut, bon usage...
Mais surtout, qu'il ne renonce pas à ses propres souhaits !

JE TE SOUHAITE...

de trouver chaque jour un moment rien qu'à toi.
Un moment pour te rencontrer toi-même
et pour scruter ton âme.
Un moment à placer
entre tes préoccupations quotidiennes
et tes aspirations.

Pour comprendre, peut-être,
ce que tu voudrais vraiment.
Et qui sait,
pour poser sur ta vie un regard neuf.

JE TE SOUHAITE...

de savoir porter sur les choses passées
un regard positif :
ainsi, sur l'année que tu laisses derrière toi...

Chaque anniversaire ne devrait-il pas être
l'occasion de nous féliciter
d'être venu à bout de l'année écoulée ?

Que cette année à venir
ne soit pas moins surmontée
que celle qui s'achève !

JE TE SOUHAITE...

– où que tu sois, quoi que tu fasses –
de ne jamais douter
que mes pensées t'accompagnent...

Qu'elles puissent toujours t'atteindre,
que tu te sentes enveloppé
d'une amitié toujours proche
(même éloignée dans l'espace),
d'une affection vraie
qui existe, tout simplement,
sans que toi ni moi n'ayons besoin de le dire.

JE TE SOUHAITE...

d'éprouver souvent cette fatigue délicieuse
qui vient après l'effort
quand celui-ci est payant...
Non pas payant au sens matériel du terme,
mais gratifiant, moralement et physiquement profitable.

Envahi de cette fatigue bienfaisante,
puisses-tu savourer le fruit de ta peine,
contempler avec satisfaction la tâche accomplie.
Nul n'est obligé de savoir ce qu'il t'en a coûté.
Mais ton corps, lui, te le dit.

JE TE SOUHAITE...

au temps où tout va bien,
de ne jamais perdre de vue
que le bonheur n'a rien qui aille de soi ;
qu'il n'est en rien éternel.

Sache donc, en ces moments privilégiés,
faire en ton cœur
provision de couleurs, de bruits et de chaleur.

Afin qu'aux heures froides et grises,
tu puises en ces réserves
la force puissante et secourable de la beauté,
qui peut tout surmonter.

JE TE SOUHAITE...

de savoir poser des limites à tes certitudes.

Trop d'assurance tue le doute :
ne doute plus de toi, tu douteras des autres...
et s'éteindra leur confiance...

Sache t'interroger,
te mettre en question,
aller vers eux
et t'avouer fragile :
c'est ainsi que tu te montreras fort.

JE TE SOUHAITE...

de faire chaque jour
une rencontre qui t'étonne,
te déconcerte, t'émerveille...
Un rien peut-être...

Laisse-toi surprendre
par les petites choses simples de la vie :
un bourgeon qui éclate, une couvée dans un nid,
le chant de l'alouette au-dessus du pré...

JE TE SOUHAITE...

de toujours savoir quitter
les situations que tu crois sûres
pour être toi-même ;
de savoir reconnaître en toi
l'appel à devenir ce que tu es, à vivre ce que tu es...

Le bonheur n'est pas autre chose...

JE TE SOUHAITE...

de savoir accepter le deuil et la compassion
quand la mort et le malheur frappent tes proches :
que ton émotion soit forte,
qu'elle te bouleverse et demeure longtemps en toi.

Car c'est dans la souffrance de la perte,
qu'avec amour, nous reconstruisons,
avec ce qui nous reste,
et qui peut encore nous faire grandir.

JE TE SOUHAITE...

d'avoir près de toi quelqu'un
avec qui tu puisses vraiment dialoguer.
Quelqu'un qui sache poser les questions qu'il faut
et capable d'écouter.

Dis-lui ce qui te préoccupe,
cela t'obligera doucement à mettre en ordre
ce qui doit l'être.
Et toi-même,
mets-toi à l'écoute...

JE TE SOUHAITE...

de ne pas négliger ce que te disent tes sens,
mais de te mettre à leur écoute
pour savourer ce qui est autour de nous et en nous.

Émerveille-toi de la Beauté.
Toute chose a sa musique : accueille-la.
Tu goûteras ainsi la volupté d'être.

JE TE SOUHAITE...

de cultiver de nombreux
et multiples centres d'intérêts :
ils te porteront à la rencontre des autres
ils conduiront les autres à toi.

N'est-il pas merveilleux de partager
les goûts et les aspirations de nos semblables ?

JE TE SOUHAITE...

de savoir, en ce jour de ta vie, t'arrêter.
Regarder derrière toi et regarder devant.
Vois-tu d'où tu viens ?
Sais-tu où tu vas ?
N'y a-t-il rien en toi qui t'indique la route à suivre ?

Arme-toi de patience, et prends ton souffle
pour mener à bien tes projets.

JE TE SOUHAITE...

de faire parfois des erreurs.
De les corriger si c'est possible,
et si ce n'est pas possible
d'avoir le courage de les assumer.

Nul n'est parfait,
et si on veut l'être,
c'est au prix de l'angoisse et de la servitude.

N'hésite pas à t'ouvrir à la nouveauté
la vie t'apprendra bien des choses.
Tes erreurs elles-mêmes t'instruiront.

JE TE SOUHAITE...

d'avoir toujours devant toi
une tâche à accomplir,
qui t'oblige à un effort
et de préférence,
que tu ne puisses la remplir seul.

Notre vie n'est qu'un continuel devoir,
accepte-le au cours de cette année.

JE TE SOUHAITE...

de faire cette rencontre heureuse
que l'on fait avec soi-même
quand le matin,
on peut supporter son image dans le miroir,
et que l'on se sent plein d'énergie et de joie.

J'espère pouvoir imaginer que chaque jour,
tu respires quelques bouffées de ce souffle
et que ton pas dans l'escalier est souple et léger.

Et le soir venu, je te souhaite
de réussir à te sourire dans le miroir
d'un air heureux et reconnaissant.

JE TE SOUHAITE...

d'aimer et de savoir rire.
Ris avec les autres, ris de leurs plaisanteries,
sans jamais faire de surenchère :
ton rire doit venir du dedans, venir de ton cœur.

Cultive ce don, qui ne doit pas rester cérébral !
Pour être vrai, le rire
doit s'emparer de ton être tout entier.

JE TE SOUHAITE...

de savoir t'intéresser
à l'existence des autres.
Il est difficile, et rare,
d'arriver à connaître vraiment
la vie de nos semblables.

Pourtant, si l'on sait ouvrir
la porte de leur âme,
on pénètre dans une mine d'or.

JE TE SOUHAITE...

de l'amour.
De l'amour à donner et à recevoir.

L'amour est cette sensation de plénitude
qui vous submerge
lorsque l'on se sent en harmonie
et étroitement lié à tout ce qui vit :
les hommes, les idées,
la musique, l'eau, le vent,
la vie...

JE TE SOUHAITE...

de savoir te dire parfois
que ce qui t'entoure
est peut-être en fait totalement différent
de ce que tu imagines d'ordinaire.

Chaque jour, libère-toi
pendant quelques instants
de tes clichés habituels.

Essaie au moins une fois :
les choses quotidiennes se révéleront peut-être
sous un autre jour :
le tintement des cloches, un parfum, une voix...

de pouvoir, le temps venu,
vivre ta tristesse.
Ne la cache pas.

Nous mettons nos biens-aimés en terre,
pas notre douleur.

Il nous faut la travailler.
Comme l'on tire d'un tronc d'arbre une sculpture,
nous devons, de chaque perte,
nous modeler laborieusement une structure
qui nous donne à nouveau
la sécurité et l'amour.

JE TE SOUHAITE...

de trouver, à l'automne de ta vie,
l'arbre de ton travail lourdement chargé des fruits
que tu as patiemment fait mûrir.

N'oublie pas que nos matins d'aujourd'hui
sont déjà les hiers de demain.

Illustrations :

Couverture : Edouard Manet, Vase avec fleurs (pivoines) ; p. 5 : Vincent Van Gogh, Roses et tournesols (vers 1887) ; p. 7 : Willi Hoffmann-Güth, Environs de Bad Wörishofen ; p. 9 : Edouard Manet, Les hirondelles, détail (1873) ; p. 11 : Clemens Neuhaus ; p. 13 : Vincent Van Gogh, Le champ de blé aux corbeaux, détail (1890) ; p. 15 : Matt Bruce, Paysage ; p. 17 : Clemens Neuhaus ; p. 19 : Vincent Van Gogh, Promenade le long de la Seine à Asnières (Paris, 1887) ; p. 21 : Matt Bruce, Paysage ; p. 23 : Clemens Neuhaus : p. 25 : Paul Cézanne, Au bord de la rivière ; p. 27 : Pierre-Auguste Renoir, Monet peignant dans son jardin à Argenteuil (détail) ; p. 29 : W. Birgels, Tournesols ; p. 31 : Cristian E. B. Morgenstern, Dans les dunes de la mer du Nord ; p. 33 : Caspar David Friedrich : L'arbre isolé ; p. 35 : Matt Bruce, Paysage ; p. 37 : Clemens Neuhaus ; p. 39 : Willi Hoffmann-Güth, La porte verte ; p. 41 : Alfred Sisley, Le chemin de l'ancien bac à By (1880) ; p. 43 : Clemens Neuhaus, Nature morte ; p. 45 : Alfred Sisley, Prairies au printemps, détail (vers 1880) ; p. 47 : Vincent Van Gogh, La Nuit étoilée (1888).